LA NOUVELLE ORLEANS

100 Illustrations en couleurs

Ecrit par
ROSANNA CIRIGLIANO

Photographies de
ANDREA PISTOLESI

BONECHI

Distribution by

EXPRESS PUBLISHING CO.
305 DECATUR STREET
NEW ORLEANS, LOUISIANA 70130

Phone: 504-524-6963/504-524-2604

Sole Agents in North America:
IPS - International Promotion Service, Inc.
3491 E. Roswell Road, N.E. -
ATLANTA, GA.30305 - Tel. (404) 266-8008

Nous remercions
Beverly Gianna, de la
Commission des Congrès
et du Tourisme de l'agglomération de
la Nouvelle Orléans pour leur aide dans
la rédaction de ce livre.

©Copyright 1991
CASA EDITRICE BONECHI
Via Cairoli 18/b
50131 Firenze - Italia
Telex 571323 CEB
Fax 55-576844

Imprimé dans la C.E.E. par le
Centro Stampa Editorial Bonechi

Traduction: par Traduco snc
di Bovone e Bulckaen
Via Marconi, 27 - 50131 Firenze

ISBN 88-7009-614-9

*C'est le jazz, rien que le jazz, que l'on retrouve en filigrane à la Nouvelle Orléans.
Qui dit jazz dit improvisation: le musicien part d'une idée simple et la transforme
pour l'adapter à sa façon de jouer, à l'image de cette ville, berceau du jazz. Le jazz,
chaud, pulsant et charnel est un amalgame d'influences diverses. C'est ainsi que
quelque chose de nouveau et de totalement américain se créa à partir d'influences
européennes, africaines et antillaises.
Le jazz se recrée à chaque concert, ce qui est pour beaucoup dans la vitalité de cette
musique. L'histoire de la Nouvelle Orléans, quant à elle, est jalonnée de
rebondissements inattendus qui ont façonné la personnalité de cette ville.*

ENTRE LE DIABLE ET LA GRANDE BLEU

Les premiers Européens qui, en 1530, eurent le courage de s'aventurer jusqu'à la basse vallée du Mississipi sont deux intrépides explorateurs espagnols, Cabeza de Vaca et Panfilo de Narvaez. Plus d'un siècle après, un Français, Robert Cavalier, Sieur de la Salle, faisait le tracé du Mississipi et déclarait sienne la zone attenante en 1682, à savoir environ 2 140 000 km² (qui donnèrent naissance à 17 états en totalité ou en partie).

Il appela cette vaste étendue du nom de «Louisane» en hommage à Louis XIV, le Roi-Soleil. Un écossais, John Law, intervient dans l'histoire en 1717 après avoir obtenu une charte d'exploitation du Territoire de la Louisiane grâce à Philippe d'Orléans, régent de Louis XV. John Law, à son tour, demanda à un autre Français, Jean-Baptiste le Moyne, Sieur de Bienville, d'y établir un peuplement. De Bienville choisit un endroit sur la rive est du fleuve, à 178 km du golfe du Mexique, pour y bâtir un petit avant-poste en contrebas de la plaine qu'il appela, en 1718, «Nouvelle Orléans».

Cette ville que l'on appela plus tard tout simplement «New Orleans» devint la capitale du territoire tout entier en 1722. Ses habitants exportait du tabac, de l'indigo et des fournitures navales, mais comme, à l'époque, la valeur marchande de ces cargaisons n'était pas à la mesure de leur encombrement, les navires français ne souhaitaient guère y faire escale. Voilà comment la France se défit de ce port qui lui rapportait si peu et le Territoire de la Louisiane, situé à l'ouest du Mississipi, revint à l'Espagne en 1763 aux termes du Traité de Paris. L'Espagne administra la région jusqu'en 1800, date à laquelle celle-ci fut secrètement rendue à la France. Comme il craignait Napoléon, dont il se méfiait, Thomas Jefferson donna l'ordre à son ministre à Paris, Robert Livingston, de négocier l'acquisition de la Nouvelle Orléans. Mais ce n'est qu'en 1803 que Napoléon décida de vendre la ville alors qu'on apprenait qu'un corps expéditionnaire, se trouvant dans la vallée du Mississipi, avait été décimé par la fièvre jaune ainsi que le mauvais temps. C'est au prix de 15 millions de dollars qu'il mit la totalité du Territoire de la Louisiane dans la balance, une des meilleures affaires jamais conclues par les Etats-Unis.

La Nouvelle Orléans fut érigée en municipalité en 1805 et la Louisiane, «Louisiana», devint le 18e état de l'Union en 1812.

ICI, C'EST CHEZ MOI

Les premiers habitants de la Nouvelle Orléans étaient composés de rudes frontaliers canadiens, d'artisans et de troupes de la Company of the West (N.d.T.: la Société de l'Ouest) de John Law (qui domina la région jusqu'à ce qu'elle revienne à la couronne française en 1731), de détenus et d'esclaves noirs et indiens, le tout formant un ensemble plus que vivant. En 1727, quelque 88 femmes sorties des prisons parisiennes y débarquèrent, sous le chaperon de huit soeurs Ursulines, et devinrent les premières épouses de la colonie. Ces intrépides soeurs s'établirent dans ce qui est devenu Chartres Street, et se firent projeter et construire un couvent un peu plus bas dans la même rue. Commencé en 1745, ce bâtiment situé près du French Market actuel (N.d.T.: marché français) est le seul datant de la période de la domination française qui existe encore à la Nouvelle Orléans. Des Français épris d'aventure et à la recherche d'horizons nouveaux ainsi que d'autres Européens marchèrent bientôt sur les traces des premiers colons. Le mot *créole*, créé et employé dans les Antilles françaises, fut importé en Louisiane où il désigna toute personne de pur sang français qui y était née. Ce concept et emprunt venait du mot espagnol *criollo*, qui désignait la première génération née de parents espagnols du Nouveau Monde. Ultérieurement, le mot se référa aux fiers descendants des premiers colons de la ville souvent d'origine à la fois française et espagnole.

Ce n'est qu'en 1766 que les Espagnols mirent pied à la Nouvelle Orléans, bien quatre ans après leur montée au pouvoir. Après avoir efficacement réprimé une révolte, ils s'installèrent et entreprirent patiemment d'influencer l'architecture de la ville ainsi que son mode de vie. Aux alentours de la même période, un groupe, qu'on appellera plus tard les «Cajuns», arrive à la Nouvelle Orléans. Ils étaient les descendants de colons français qui s'étaient établis en Acadie, que l'on appellera plus tard la

Les gratte-ciel de la Nouvelle Orléans en arrière-plan.

A droite: *vue aérienne de Jackson Square, au centre du French Quarter, et gratte-ciel de la ville moderne en arrière-plan.*

province canadienne de la Nouvelle Ecosse. Les Britanniques s'emparèrent de la région par la force en 1715, marquant ainsi le début d'une période de conflit entre le pouvoir protestant et la population catholique. Les Britanniques expulsèrent finalement les «Cadiens» en 1755, certains s'en retournèrent en France tandis que d'autres partirent pour la Louisiane. Les Espagnols s'organisèrent ensuite pour que reviennent à la Nouvelle Orléans plusieurs milliers de ces exilés qui étaient retournés en France. L'inimitable joie de vivre des Cajuns serait bientôt intégrée à la culture locale.
Puis, ce fut le tour des «Américains». Lors de la guerre de l'Indépendance, les «Kaintucks» (qui ne provenaient pas nécessairement du Kentucky mais faisaient la navette sur le fleuve en radeau) commencèrent à transporter des cargaisons jusqu'à la Nouvelle Orléans. Les dirigeants espagnols durent les empêcher plus d'une fois d'utiliser le port en raison des désordres qu'ils causaient. Pas découragés pour autant, ils revinrent en masse par le fleuve ainsi qu'à pied le long du Natchez Trace pour commercer et vivre à la Nouvelle Orléans.

Nombre de ces «Kaintucks» étaient celtes, c.-à.-d. écossais et irlandais et leur présence ne fut pas initialement considérée d'un très bon oeil par les aristocrates créoles. Ils s'établirent donc de l'autre côté du «French Quarter», le Quartier Français. La terre qui les séparait était censée être un canal de drainage: il se composait d'un large boulevard coupé d'une ligne médiane appelée «terrain neutre». La population autochtone appelle toujours les médianes «terrain neutre». Il ne faut pas oublier non plus que la grande vague d'immigration européenne vers les Etats-Unis datant de la moitié du XIXe siècle jusqu'au début du XXe apporterait Allemands, Irlandais et Italiens d'origine à la Nouvelle Orléans. L'héritage africo-américain est tout aussi ancré et fort. Avant la guerre civile, «les hommes de couleur libres» étaient musiciens, journalistes, poètes, hommes d'affaire et propriétaires. La créativité et le savoir-faire des noirs jouissaient d'une très bonne réputation dans le domaine des grilles en fer et de la charpenterie. La Nouvelle Orléans est l'une des villes de ce pays où l'apport des noirs à la culture locale se distingue tout particulièrement.

When New Orleans was the Capita of the Spanish Province of Luisiana.
1762 — 1803
This square bore the name

PLAZA ᴅ ARMAS

En haut: *enseigne rappelant l'histoire de Jackson Square.*
En bas: *les artistes ont coutume d'y exposer leurs tableaux.*

Vue aérienne de Jackson Square.

I AIN'T GONNA PLAY NO SECOND FIDDLE

Aucune envie de jouer les sous-fifres

Conçu selon les principes d'un village typiquement français par l'ingénieur Adrian de Pauger en 1721, le **Vieux Carré** ou **French Quarter** est le coeur de cette ville forgée par le jazz, dont les bâtiments caractéristiques portent les signes manifestes de l'influence française, espagnole et américaine. **Jackson Square** se trouve au centre du plan orthogonal du Vieux Carré.

Cette place, qui fait face au fleuve, où se côtoient verdure, arbustes et arbres, est un hâvre de paix où l'histoire de la ville et la vie contemporaine se fondent harmonieusement. En contrepoint, une vue aérienne de la place permet de mettre en évidence la Nouvelle Orléans moderne avec ses gratte-ciel en toile de fond. L'agencement de Jackson Square est le reflet manifeste du fait que l'église catholique romane ainsi que le gouvernement civil étaient à eux deux la clef de voûte de la colonie à l'origine. A l'époque, la place n'était qu'une simple place d'armes connue sous ce même nom. Les soldats faisaient l'exercice devant l'église de la ville (connue sous le nom de Cathédrale Saint-Louis après plusieurs reconstructions), flanquée en premier lieu par le quartier-général de la municipalité espagnole (le Cabildo) puis une résidence qui était censée être destinée au clergé (le Presbytère). Après avoir hérité des communaux, les Espagnols transformèrent son nom en *Plaza de Arms*, les Américains, quant à eux, devaient l'appeler *Public Square*.

Le nom de *Jackson Square* fut attribué à la moitié du XIXe siècle, époque où une statue équestre de Andrew Jackson, héros de la bataille de la Nouvelle Orléans, fut inaugurée au milieu de la place.

Cette place a toujours attiré beaucoup de monde: gens du cru, touristes, artistes qui exposent leurs oeuvres à l'extérieur de la grille en fonte (conçue

La Cathédrale Saint-Louis est la plus ancienne et la plus importante église de la Nouvelle Orléans. A droite: *le Cabildo, ancien quartier-général du gouvernement colonial espagnol situé à gauche de la Cathédrale.*

par Louis H. Pilé et posée en 1851), chauffeurs aux rênes de leurs voitures à cheval comme autrefois, musiciens qui se lancent parfois dans des concerts improvisés. Presque tout le monde se dirige imperceptiblement vers la **Cathédrale Saint-Louis** dominée par ses hauts clochers et sa façade blanche qui impassible, assiste calmement à ce défilé changeant.

Il y a toujours eu une église à cet emplacement depuis le début des années 1720 et la cathédrale actuelle est le troisième édifice de ce type. Le premier modeste lieu de culte, que l'ouragan de 1722 emporta, fut baptisé du nom du roi Louis IX, le saint patron de France, par les premiers colons. Le deuxième édifice fut détruit par le grand incendie de 1788, qui réduisit en cendre la plus grande partie de la vieille ville. Le gouverneur de la Nouvelle Orléans, Don Andrés Almonester y Roxas, un riche noble espagnol, finança la construction du nouvel édifice religieux

sur les plans de Gilberto Guillemard. Achevé en 1794, il réussit à échapper à un autre gros incendie qui se déclara peu après et fut consacré cathédrale la veille de Noël de la même année. Tout au long de son histoire, la porte de la cathédrale fut utilisée pour afficher des publications officielles, tout comme il était coutume de le faire dans les églises européennes. H.S. Bonval Latrobe fit quelques modifications architecturales à la façade de l'église en 1814 ainsi que plus tard en 1849-1851, date à laquelle la Cathédrale Saint-Louis fut aggrandie sur les plans de l'architecte J.N.B. Pouilly, qui lui donna également une apparence française en surélévant les clochers et faisant d'autres légers remaniements.

Les parois intérieures de la cathédrale sont ornées de peintures et au centre, trône un autel simple, mais d'une exquise beauté, fait en Belgique. Plusieurs générations de familles de la

Intérieur de la Cathédrale Saint-Louis. L'autel est de fabrication belge.

Nouvelle Orléans y sont enterrées et leurs tombes sont surmontées d'inscriptions en français, espagnol, anglais ou latin. Le Pape Paul VI éleva la cathédrale au rang de petite basilique en 1964. La **statue** équestre de **Andrew Jackson** mentionnée ci-dessus, qui se trouve juste devant la Cathédrale Saint-Louis, est l'oeuvre du sculpteur Clark Mills. Personnage militaire hors pair, sa mémoire est honorée parce qu'il a sauvé la Nouvelle Orléans de l'assaut des forces d'invasion britanniques pendant la guerre de 1812. Jackson et un groupe de colons des forêts ainsi que des volontaires pris sur place mirent en déroute l'ennemi à Chalmette, juste à l'extérieur de la ville, le 8 janvier 1815. A l'insu des deux camps, un traité mettant fin à la guerre avait été signé deux semaines auparavant.
Les édifices qui flanquent la Cathédrale sont le

MAJOR GENERAL
ANDREW JACKSON

La statue en bronze de Andrew Jackson se trouve au centre de la place qui porte son nom. Jackson défendit la Nouvelle Orléans contre les forces d'invasion britanniques en 1815 qu'il repoussa avec succès.

symbole du pouvoir temporel et religieux plus que militaire. Si l'on prend la statue de Andrew Jackson comme point de référence, on peut voir la Cabildo à gauche et le Presbytère à droite. Ce sont deux édifices coloniaux espagnols mansardés (le Cabildo a été construit en 1795 pour remplacer un édifice où logeait un *corps de garde* – commissariat – qui fut détruit dans l'incendie de 1788, quant au Presbytère, on en commença la construction dans les années 1790). Le Cabildo était autrefois le siège du gouvernement de toute la vallée du Mississipi, et c'est là, au deuxième étage, que fut signé l'acte de vente de la Louisiane en 1803. On peut encore voir une partie de l'ancien commissariat dans les pièces du rez-de chaussée, et la prison, située derrière l'édifice, était encore utilisée en 1914. La

Nouvelle Orléans s'en servit également de mairie de 1803 à 1853 et l'édifice abrita ultérieurement la Cour Suprême de la Louisiane (1853-1910). Le Presbytère (qui ne fit jamais office de «presbytère») ainsi que le Cabildo font maintenant partie du Louisiana State Museum (N.d.T.: Musée de l'Etat de la Louisiane) et contiennent de nombreux objets intéressants, y compris le masque funéraire de Napoléon Bonaparte.

Le musée comprend une partie du **Lower Pontalba Building**, qui donne sur Jackson Square, Ann Street. Tout comme son pendant situé juste en face, le **Upper Pontalba Building** (dont l'emplacement rappelle la Piazza Santissima Annunziata de Florence, en Italie), ce bâtiment en brique rouge date d'environ 1850 et a été conçu

En haut à gauche: *gros plan du toit mansardé du Calbildo.* En bas à gauche: *les deux édifices en brique connues sous le nom de Pontalba Apartments auraient été les premiers immeuble des Etats-Unis.*

La Jackson Brewery, qui se trouve au bord du fleuve, est devenue une agréable galerie marchande.

avec de longs balcons ornés de délicates balustrudes en fonte. Fabriqué en France, le motif de la balustrade en fer ajouré contient les initiales «AP» signifiant Micaela Almonester, Barone de Pontealba, fille de Don Andrés Almonester y Roxas (voir la Cathédrale Saint-Louis) qui commanda ces édifices aux architectes James Galliers Sr. et Henry Howard. Ils forment un ensemble harmonieux de boutiques au rez-de chaussée et d'habitations privées à l'étage, selon les souhaits de leurs concepteurs. La partie de l'édifice appartenant au Musée de l'Etat de la Louisiane reproduit fidèlement l'atmosphère d'une maison de la Nouvelle Orléans du milieu du XIXe siècle, avec ses

meubles d'époque. Retour au présent: on peut faire ses courses à la **Jackson Brewery**, qui se trouve tout près au n° 620 de la Decatur Street. Cette ancienne brasserie a été transformée en agréable et pittoresque galerie marchande de qualité à plusieurs niveaux dans les années 1980 et se compose de plus de 100 magasins et boutiques modernes ainsi que de restaurants et comptoirs où l'on peut consommer sur place. Après une séance de lèche-vitrine, la meilleure façon de se détendre est de commander quelque chose à l'une des terrasses à ciel ouvert du JAX (comme on l'appelle familièrement) et d'admirer le panorama de la ville et du Mississipi qui s'offre à vos yeux.

COMMENT DECRIRE CA AVEC DES MOTS?

Si on ferme les yeux à la Nouvelle Orléans, on entend aussitôt de la musique. Le son enfumé du jazz vous entoure, des musiciens solitaires improvisent dans les rues du French Quarter ou sur le fleuve, c'est une explosion de rythmes qui fêtent Mardi Gras, et les cuivres défilent même joyeusement pour marquer la dernière sortie d'un ami qu'on enterre.

Quand on parle de jazz, quelques-uns des noms des plus grands jazzmen s'imposent aussitôt: Louis Armstrong, Buddy Bolden, Jelly Roll Morton, Duke Ellington, Count Basie, Charlie Parker et Dizzie Gillespie. Cet art est né à la Nouvelle Orléans peu avant la Première Guerre Mondiale. Il se compose de ragtime, blues, chansons de violoneux écossaises et irlandaises, de vieilles chansons créoles à danser de la Louisiane, de spirituals, de revival hymns et des chansons que les noirs chantaient en travaillant. Le jazz a toujours des sautes rythmiques ou «swing» parce que c'est une musique syncopée. Prenez une

Bourbon Street est l'endroit «obligé» pour qui veut se divertir le soir.

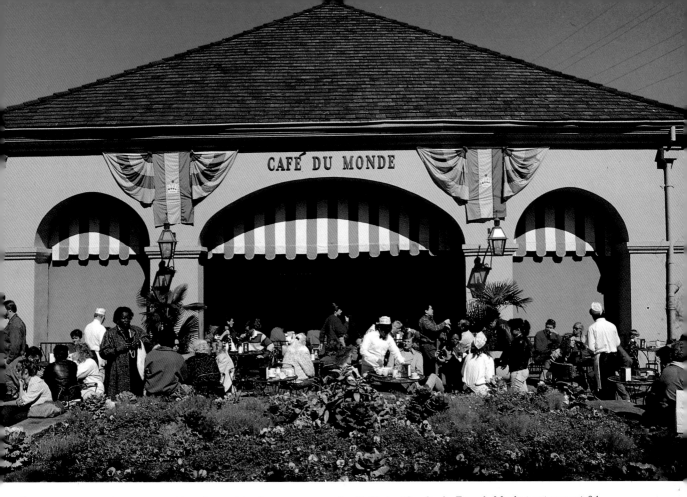

À gauche, le Pat O'Brien's est l'un des points de référence de la Nouvelle Orléans.

Le Café du Monde du French Market est ouvert 24 heures sur 24 pour un café au lait et des beignets.

trompette, un trombone, un saxophone, une clarinette, une basse et une batterie, mettez-les ensemble et vous avez les éléments essentiels d'un groupe de jazz. Faites entrer les joueurs et après... tout peut arriver! Ou bien, comme dit un vieux proverbe de la Nouvelle Orléans: «Let the good times roll!», c'est le moment de prendre son pied.

Le plaisir de cette tradition musicale de la Nouvelle Orléans continue sans donner signe de faiblesse dans la **Bourbon Street** du Vieux Carré où la magie du jazz se renouvelle chaque nuit, chaque jour, sans relâche. Deux jazzmen célèbres, Al Hirt et Pete Fountain, y ont leurs propres clubs. De ces nombreux clubs où le jazz éclate dans le quartier émanent l'énergie créatrice la plus pure, entretenue par la musique et l'alcool. Pour ceux qui aiment à la fois la musique douce et les boissons fortes, **Pat O'Brien's**, près de St. Peter Street, est l'endroit où il faut aller. Cet établissement a trois bars: le bar principal, un autre dans le magnifique et vaste patio, et le troisième dans le Cocktail Lounge, où pianistes et chanteurs divertissent le public tous les soirs de 20.00 h à 04.00 h du matin. La spécialité de la maison est le «Hurricane drink», (l'ouragan), que l'on sert dans des verres ornés d'un écusson et soufflés main de «29 oz.» (0,82 l), objets souvenirs très populaires de Pat O'Brien et de la Nouvelle Orléans.

Il arrive un moment où il faut prendre un café. C'est l'occasion de faire une promenade ou bien de louer une voiture à cheval pour parcourir les rues du French Quarter jusqu'au fleuve et le Café du Monde au bout du French Market. Comme Bourbon Street, le **Café du Monde** ne dort jamais non plus – vous pouvez demander un *café au lait* à n'importe quelle heure, un café fort au goût de chicoré et du lait chaud, et... un *beignet*, saupoudré de sucre glacé.

Et voici une petite introduction à la cuisine de la Nouvelle Orléans, sans doute la plus savoureuse des Etats-Unis. Les ingrédients de base sont souvent les fruits de mer, le riz, les haricots, le

*Le French Market est un endroit agréable au bord du
Mississipi.*

Une fois vos achats terminés, allez vous asseoir dans ce parc caractéristique près du French Market.

Pour mieux apprécier le French Quarter, sans se fatiguer, prenez donc une voiture à l'ancienne.

poulet, le porc, les légumes et les épices que l'on trouve sur place, le tout magnifiquement transformés selon des recettes cajuns et créoles. Les plats cajuns sont surtout le reflet d'une cuisine «des champs», consistante et assez pimentée, tandis que la cuisine créole «des villes» est plus épicée et utilise volontiers les nappages de sauce. Certaines spécialités locales sont, par exemple, la langouste à l'étouffée (*crawfish étoufés*) et les crevettes à l'étouffée (*shrimp étoufée* ou fruits de mer cuisinés dans une sauce à base de tomates), le *gumbo filé* (un épaisse soupe de crevettes, chaire de crabe, okra ou gombo, herbes aromatiques et riz), le *jambalaya* (une marmite fumante de riz au safran, tomates, jambon, crevette, poulet, céleri, oignons et épices), *red beans and rice* (haricots rouges et riz avec de jolis morceaux de chaire à saucisse que l'on mange d'ordinaire le lundi) et la *sébaste fumée*. On ne saurait oublier les spécialités bien françaises, telles que les huîtres crues, les

demi-huîtres, le rôti de veau et de canard, la truite à la sauce meunière, et, bien sûr, les *pralines*.

Ces plats peuvent être commandés dans un restaurant élégant ou bien préparés à la maison à l'aide d'un livre de cuisine de la Louisiane écrit par Paul Prudhomme, par exemple. Les ingrédients peuvent être achetés au **French Market** qui se trouve tout près, du côté du fleuve, pas loin de Jackson Square. Les gens de la ville y font leurs emplettes depuis plus de 150 ans. Les étaux en plein-air regorgent de fruits et légumes cultivés par les maraîchers du coin et une superbe variété de viandes, volailles, flets, lutjanidés ou vivenots, poissons-chats (dit «des canas») et crabes bleus débordent des étaux. Pour ceux que les plaisirs de la table n'intéressent pas spécialement, au French Market on peut également trouver des objets artisanaux souvent exposés sous les arcades dans un décor qui rappelle un peu le Vieux Monde.

En haut à gauche:
exemple de l'architecture éclectique qui caractérise la Nouvelle Orléans; en bas à gauche: la ville est tout particulièrement renommée pour ses balcons à balustrade en fer ajouré.

Une rangée de balcons à balustrade en fer ajouré est d'une beauté saisissante.

La Nouvelle Orléans est aussi une fête pour les yeux. La ville, dans son ensemble, reflète une multitude de styles architecturaux différents: gratte-ciel modernes, demeures et jardins gracieusement italianisants, solides maisons américaines des villes, bâtiments classiques style Renaissance grecque et séduisantes maisons victoriennes agrémentées de détails style Renaissance gothique tels que l'arc brisé. Ce sont pourtant les raffinements coloniaux français et espagnols du Vieux Carré, toujours exquis, qui demeurent l'attraction la plus forte.
La charpente des maisons anciennes du Vieux Carré est faite de solides poutres entre lesquelles ont été disposées des briques recouvertes de plâtre. On peut voir l'application de cette technique employée par les maçons français de la Louisiane et connue sous le nom de *briquette entre poteaux* dans un «cottage» du XVIIIe siècle, qui est devenu un bar, au n° 941 de la Bourbon Street. Cette maison est connue sous le nom de **Lafitte's Blacksmith Shop** (N.d.T.: la forge de Lafitte) bien qu'il n'existe aucune preuve permettant d'instaurer un lien quelconque entre elle et le fameux pirate du même nom. Ce «cottage» à un étage, qui s'arrête au trottoir, est typique des années 1700 et se distingue par ses portes vitrées et son toit en pente.
Les maisons en forme de L à deux étages qui s'arrêtent elles-aussi au trottoir et sont reliées à des maisons mitoyennes semblables, constituent un autre type de maison créole. Une porte située

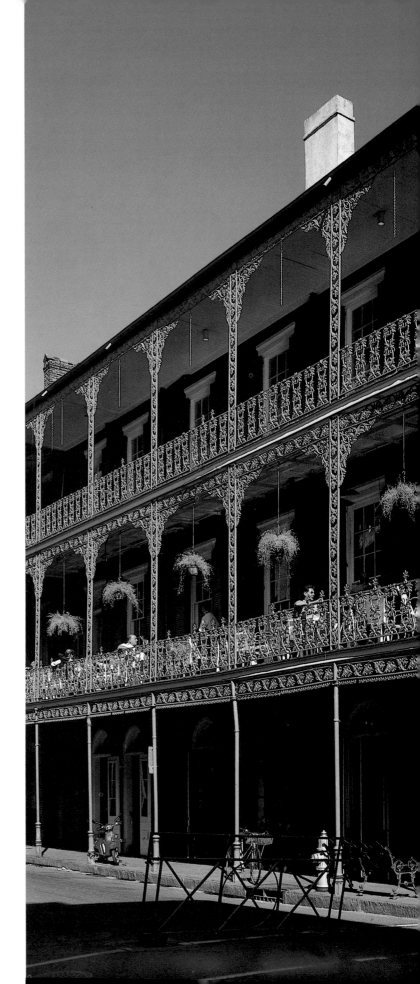

Le La Branche Building avec ses magnifiques galeries en fonte est peut-être l'un des édifices les plus célèbres du Vieux Carré.

Les balustrades en fer ajouré que vous voyez sur ces pages sont le résultat de l'artisanat local du XIXe siècle.

sur le côté donne généralement accès aux fontaines, fleurs et arbres d'une cour intérieure. Un exemple d'une saisissante beauté est représenté par la Brulatour Courtyard (N.d.T.: la Cour Brulatour) qui fait partie de la François Seignouret House datant du début du XIXe siècle au n° 520 de la Royal Street, qui abrite maintenant la chaîne de télévision de la WDSU. Mais, peut-être est-ce tout simplement l'image des terrasses et des plantes suspendues du Vieux Carré que le visiteur emporte avec lui. Celles-ci vont des simples balcons en fer forgé maintenus par des supports d'entretoise aux complexes galeries en fonte situées sur tout le pourtour de l'édifice. On dirait presque un gâteau de mariage anglais, monté étage après étage en

un écheveau complexe maintenu en place par des colonettes. Le **La Branche Building** au n° 700 de la Royal Street est sans doute l'un des édifices les plus impressionnants de ce type à la Nouvelle Orléans.
Commandées en 1840 par Melasie Trepagnier la Branche, veuve de Jean Baptiste La Branche, ces galeries en fonte sont constituées de motifs bien réguliers de feuilles de chêne et de glands. Ce qui fait la spécificité de cette architecture ce sont aussi les enseignes en bois, qui sont souvent gravées et peintes à la main, les galeries d'art publicitaire, les magasins d'antiquité, les parfumeries, les salons de thé et les cafés.
L'*ambiance* autour de la Royal Street rappelle un peu celle de la Rive Gauche à Paris.

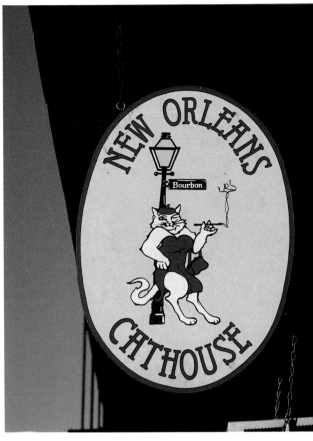

Quelques exemples d'enseignes gravées et peintes à la main du Vieux Carré.

BODY AND SOUL

Corps et âme

Le passé est encore aujourd'hui très présent à la Nouvelle Orléans. Il a laissé des traces perceptibles dans les maisons privées d'autrefois qui sont ouvertes au public. L'une d'elles est la **Hermann-Grima House** au n° 320 de la St. Louis Street, toujours dans le Vieux Carré, et constitue un apport bien américain à l'architecture de la Nouvelle Orléans. Construite pour Samuel Hermann Sr. en 1831, la maison est en briques de Philadelphie et de style Georges V modifié, lequel était à l'époque le style dominant sur le bord de mer oriental. La maison changea de propriétaire en 1844 et passa à Felix Grima, avocat et notaire. Elle demeura la propriété de la famille Grima jusqu'en 1924, date à laquelle elle fut achetée par le Christian Woman's Exchange (N.d.T.: Association féminine chrétienne) qui la transforma en musée. La Hermann-Grima House est dotée d'une cuisine créole toujours utilisable datant des années 1830 et des séances de démonstration culinaire ont lieu à partir de peats confectionnés au-dessus de l'âtre, d'octobre à mai, sur réservation. Parmi les somptueux

A droite: la maison historique Hermann-Grima. En bas: des séances de démonstrations culinaires sont toujours donneés au dessus de l'âtre de la maison.

La Beauregard-Keyes House est un remarquable exemple
d'architecture style «cottage» surélevé de la Louisiane
allié à un style renaissance grecque. En haut, à droite, le
jardin de la maison, en bas, la chambre.

meubles antiques de cette époque que les pièces
recèlent, on compte un lit à baldaquin. Sur le
terrain de la maison, on compte même une étable
privée remise à neuf.
En revanche, la **Le Carpentier-Beauregard-
Keyes House** au n° 1113 de la Chartres Street est
caractérisée par un mélange fascinant de
«cottage» surélevé à la Louisiane, de
portes-fenêtres, volets, toit mansardé, et de style
Renaissance grecque.
La maison a une cour ainsi qu'un jardin classique
à la française. Joseph Le Carpentier, maître
priseur et grand-père du joueur d'échec émérite,
Paul Morphy, se fit construire cette belle maison
en 1826. Un Général de l'armée confédérée,

P.G.T. Beauregard, y vécut pendant quelque
temps après la fin de la guerre civile, et la
romancière Frances Parkinson Keyes s'y établit
pendant la période qui va de la Deuxième
Guerre Mondiale jusqu'à sa mort en 1970. La
maison est devenue un musée, géré par la
Fondation Keyes, ayant pour but de préserver les
meubles antiques, les souvenirs de la romancière
ainsi qu'une collection de poupées. La **statue
équestre** du Général **Beauregard** qui se trouve à
l'entrée du **City Park** (N.d.T.: le parc de la ville),
constitue un souvenir plus tangible du héros
militaire. Les quelque 607 hectares qui s'étendent
au-delà du Vieux Carré et à mi-chemin du lac
pontchartrain sont le lieu idéal pour la marche, la

En haut et à droite: *l'intérieur de la Beauregard-Keyes House où a été recréée l'atmosphère d'une époque passée.*

bicyclette, le tennis et le golf. Ceux qui sont passionnés par l'eau peuvent faire du bateau ou bien aller pêcher dans les nombreux lagons qu'abritent des chênes vieux de 800 ans. Quant aux enfants, ils s'y précipitent pour faire un tour de manège et de petit train.

Les passionnés de culture peuvent aller au **New Orleans Museum of Art** qui se trouve également dans le parc dans un bel édifice néo-classique. La collection du Musée comprend des oeuvres de la Renaissance italienne, de l'art précolombien, des sculptures africaines et des oeuvres d'impressionistes français. Autre chose assez surprenante: les cimetières représentent également un centre d'attraction pour les touristes à la Nouvelle Orléans. La ville étant située en moyenne à 1,5 m en-dessous du niveau de la mer, les enterrements en pleine terre sont

impossibles. Ceci a conduit les habitants de la ville à créer des enclaves appelées «Cities of the dead» (N.d.T.: la cité des morts) où le corps des défunts repose dans des tombes, de divers styles architecturaux, entièrement construites au-dessus du sol.

Les cryptes ressemblent à des rangées de petites maisons ou bien de temples d'inspiration grecque en marbre, brique et stuc. Les cryptes antérieures sont modestes tandis que celles qui on été construites à partir de 1830 ont tendance à être des reproductions chargées de spécimens aux dimensions supérieures ornées de fronteaux Renaissance grecque, de portiques et de grilles en fonte. Les cimetières historiques sont éparpillés un peu partout à la Nouvelle Orléans. Leur emplacement donne une idée de l'aggrandissement de la ville puisque chacun

d'entre eux se trouvait à l'époque près du périmètre de la ville ou bien au-delà. **St. Louis Cemetery Number One** au n° 400 de la Basin Street, juste à l'extérieur du Vieux Carré est le cimetière le plus ancien et celui qui est le plus visité parce qu'il fournit de nombreux éléments sur l'histoire de la ville. Parmi les personnages célèbres qui y sont enterrés on compte: Etienne de Boré, le premier maire de la Nouvelle Orléans, et Marie Laveau, connue sous le nom de Reine Vaudou au XIXe siècle. Puisque nous en sommes au vaudou, il faut dire que c'était une croyance et un rite qui furent amenés par les esclaves antillais à la Nouvelle Orléans. La municipalité tenta de supprimer cette pratique au début des années 1800 en autorisant les danses tribales et la musique en plein air dans ce qu'on appelait alors «Congo Square», et qui fut toujours un lieu de rencontre entre Africains et Américains jusque vers la fin du XIXe siècle. C'est là que Charles «Buddy» Bolden subit l'influence de certains rythmes afro-antillais qui font partie intégrante du genre musical qu'il contribua à créer: le jazz. L'oeuvre du premier jazzman se continua à travers le plus grand jazzman de tous, Louis Armstrong. «Satchmo» est né à la Nouvelle

En haut: *la statue du Général Beauregard se trouve à l'entrée du parc de la ville où se trouve également le Museum of Art de la Nouvelle Orléans, que vous voyez en bas.*

Orléans le 4 juillet 1900 et entreprit de révolutionner le jazz par son swing, un rythme mélodique unique, et ses improvisations qui lui permirent d'embellir et de réinventer ce qu'il jouait. Sa manière de jouer la trompette est devenue immortelle.

L'ambassadeur symbolique du Jazz pour le monde entier est commémoré à jamais par le **Louis Armstrong Park** à la Nouvelle Orléans. Inaugurée le 15 avril 1980 par sa femme Lucille, le parc est situé à l'emplacement de l'ancien Congo Square. Situé également dans le parc on trouve: le Municipal Auditorium (salle de représentation/conférences/concerts/etc.) et le Theatre for the Performing Arts (N.d.T.: Théâtre de tous les Arts de la scène) de la Nouvelle Orléans où la Orleans Opera Guild (N.d.T.: cercle d'opéra amateur) donne des représentations de musique classique et d'opéra, de l'automne au printemps. Mais quoiqu'on en dise, c'est le jazz qui compte dans cette ville et la statue de Louis Armstrong veille à préserver l'héritage toujours bien vivant de la Nouvelle Orléans qu'il a, lui-même, si bien su perpétuer.

La Nouvelle Orléans se trouvant au-dessous du niveau de la mer, les tombes de ses habitants doivent être construites au-dessus du sol comme on le voit sur cette photo du St Louis Cemetery Number One, l'un des cimetières les plus anciens de la ville. En bas: Le parc Louis Armstrong.

Anachronisme des bateaux à vapeur d'autrefois amarrés le long du Mississipi et des gratte-ciel de la ville moderne avec son World Trade Center. A droite: en amont du fleuve, le bateau à vapeur, le «Natchez», est mis en relief par l'arrière-plan pittoresque de la Jackson Brewery et Jackson Square. Aux pages suivantes: il faut absolument faire une croisière en bateau à vapeur à la Nouvelle Orléans.

I'VE GOT THE WORLD ON A STRING

Le monde dépend de moi

Le **Mississipi** donne son propre rythme à la Nouvelle Orléans. Au cours des âges il a apporté à la ville son âme à travers les immigrants, et constitué le moyen de subsistance, à travers le commerce, nécessaires à sa croissance et à son expansion. Le Mississipi, qui est profond et rapide à cet endroit, partage la ville en deux: avec la Nouvelle Orléans d'un côté, et de l'autre, Algiers. Les rives sont reliées par les deux travées majestueuses du **Mississippi River Bridge** (N.d.T.: le pont du Mississipi). La Nouvelle

Orléans est située dans un coude du fleuve, ce qui explique pourquoi on l'appelle «The Crescent City», la ville en forme de croissant. On a une vue panoramique du fleuve à partir de Jackson Square, en contrebas, si l'on prend le **Moonwalk**, (du nom de l'ancien maire de la ville, Moon Landrieu). A cet endroit, si l'on regarde les **bateaux à vapeur** amarrés le long du fleuve, on a un raccourci saisissant de l'histoire de la Nouvelle Orléans. De luxeux bateaux à aubes et d'historiques bateaux à aubes arrière (ces

Ci-dessus: *une rangée d'immeubles commerciaux et d'hôtels (y compris le Hilton) de nuit. A droite: Lee Circle, le rond-point où convergent trois boulevards principaux et le monument à la mémoire du héros sudiste.*

derniers étant équipés d'une aube à l'arrière du bateau) qui portent des noms comme «Cajun Queen», «Cotton Blossom», «Natchez», «Creole Queen», «Bayou Jean Lafitte» et «Voyageur» permettent de faire de petites ou grandes croisières touristiques ou bien des repas croisière. La réalité moderne de la Nouvelle Orléans veut que la ville soit le deuxième **port** par ordre d'importance des Etats-Unis et le troisième port le plus productif du monde en termes commerciaux. De ce port, on exporte des produits agricoles bruts et transformés, de la ferblanterie, des produits chimiques, des combustibles, du pétrole et des produits pétroliers. Une partie importante de l'industrie de la ville se trouve justement près du fleuve au **World Trade Center**, au n° 2 de Canal Street, ainsi que les consulats de divers pays. Si l'on prend l'ascenseur en verre situé juste à l'extérieur de l'immeuble de 33 étages qui mène à un observatoire, on a un panorama grandiose de la ville et un bar tournant, deux étages plus haut, vous apportera un plaisir comparable. La multitude des gratte-ciel laisse la place à un

Ci-dessus: *vue prise près du Superdome et de l'hôtel Hyatt. A droite, le Superdome où se jouent de nombreuses rencontres sportives.*

carrefour de quatre rues principales, **Lee Circle**, qui rend hommage à la mémoire du Général confédéré Robert E. Lee. Placée stratégiquement au sommet d'une colonne, la statue en bronze du soldat sudiste le plus connu a le regard symboliquement tourné vers le Nord. La guerre, mais à plus petite échelle, se continue régulièrement à l'intérieur du **Louisiana Superdome**, un stade futuriste, scintillant, en forme de soucoupe qui abrite l'équipe de football de New Orleans Saints, ainsi que l'équipe de football, «Green Wave», de l'université de Tulane.

C'est aussi le lieu où se jouent des rencontres sportives telles que le «Sugar Bowl» (Coupe de football du Sud) et le «Super Bowl» (Finale de Coupe). Le «Superdome», l'un des plus grands édifices de son genre au monde, a plus de 100 000 places.
Si vous vous éloignez du fleuve vous arriverez à **downtown New Orleans**, le centre de la Nouvelle Orléans, ville moderne, où l'on trouve grand nombre des 50 banques commerciales de la ville, des magasins et des restaurants. C'est ici que se concentre une partie des Américains qui

Sur cette page et ci-dessus à droite: *le centre de la Nouvelle Orléans*, en bas à droite*: Canal Street qui sépare le French Quarter de l'activité commerciale du centre.*

s'établirent à la Nouvelle Orléans après sa cession aux Etats-Unis en 1803. Le centre du secteur américain était alors marqué par **Lafayette Square**, baptisé du nom du noble français qui se dévoua tant pour aider la cause américaine pendant la guerre de l'Indépendance. Tout près, dans Camp Street, on peut voir la statue d'un héro américain de la même période, **Benjamin Franklin**. Sur l'embase de la statue de Franklin on a gravé un proverbe tiré du *Poor Richard's Almanac* écrit par lui et qui dit: «Economisez tant que vous êtes jeune pour dépenser lorsque vous serez vieux. Un sou économisé vaut mieux que deux sous gagnés à la sueur de votre front».

En bouclant le cercle qui nous mène au Vieux Carré, on peut voir la séparation initiale dont nous avons déjà parlé entre le French Quarter et le reste de la Nouvelle Orléans: **Canal Street**, un boulevard passant longé de magasins et de bureaux.

En haut à gauche:*Canal Street.* En bas et à droite: *la statue de Benjamin Franklin se trouve près du Lafayette Square.*

Le Marché de Riverwalk permet de faire des courses en tous genres.

PREUVES D'AMITIE

Au-delà du French Quarter, le Moonwalk laisse la place au **Riverwalk** où se trouve le **Riverwalk Marketplace** où il fait si bon se promener.
On ne saurait omettre la réalité actuelle de cette ville, laquelle, en raison de son héritage et de son caractère commercial, porte les signes tangibles de l'amitié internationale. Une statue en bronze de **Jeanne d'Arc**, cadeau de quatre villes françaises, a été présentée à la Nouvelle Orléans au nom du gouvernement français et placée près de l'International Trade Mart. Une statue de **Winston Churchill** se trouve dans la British Place en face de l'**hôtel Hilton**, dont la silhouette se détache sur la ligne d'horizon de la ville. Il y a même une **Spanish Plaza**, qui se trouve près du World Trade Center, qui rend hommage aux liens importants qui existent entre la ville et l'Espagne. On ne saurait oublier la **Piazza d'Italia**, avec son temple en plein air et sa fontaine qui a la forme de la carte d'Italie et qui se trouve près du fleuve.
L'échange de marchandises à la Nouvelle Orléans est allé de pair avec l'échange d'idées, lequel a été tout particulièrement encouragé durant ces dernières années. Ceci est manifeste un peu plus loin le long du Riverwalk avec le **New Orleans Convention Center**, le Centre des Congrès de la Nouvelle Orléans, 32 500 m², lieu où s'est tenue la Convention Nationale Républicaine de 1988.
L'économie locale bénéficie grandement des congrès et ce, jusqu'à concurrence de 500 millions de dollars par an.

En haut, à gauche: *les statues de Winston Churchill et Jeanne d'Arc apportent une note internationale à la ville.* En bas à gauche: *la Spanish Plaza.* A droite, *la Piazza d'Italia et ci-dessous, le New Orleans Convention Center (Centre des Congrès de la Nouvelle Orléans).*

En haut à gauche: *gros plan de l'hôtel Hilton et du World Trade Center;* en bas, *scène caractéristique du port de la Nouvelle Orléans.* Ci-dessus: *les deux travées du pont du Mississipi reliant la Nouvelle Orléans à Algiers.*

LADY, BE GOOD

Ma belle, sois bonne

La Nouvelle Orléans est composée de quatre paroisses: Orleans, Jefferson, St Bernard et St. Tammany, sur une superficie de 940 km² (dont 518 en terre ferme) et une population de plus d'un demi-million d'habitants. Les deux centres universitaires les plus importants de la ville sont Tulane et Loyola.

Tylane a été fondée en 1834 en tant qu'université de médecine et s'est aggrandie par la suite avec l'adjonction des facultés de commerce (la faculté de commerce la plus ancienne des U.S.A.), lettres, architecture, sciences sociales, ingénierie et droit (où l'accent est mis sur l'étude du Code Napoléonien, la Louisiane étant le seul état américain où il soit appliqué). **Loyola**, université jésuite, est l'université catholique la plus importante du Sud et jouit d'une bonne réputation.

Ces deux centres universitaires sont situés l'un à côté de l'autre dans **St. Charles Avenue**, l'un des quelques boulevards qui reste et où circule encore un **tramway** en état de marche. Le tramway de la Nouvelle Orléans, qui n'a pas cessé de fonctionner lors des 150 dernières années, est un repère historique officiel que Tennessee William a immortalisé dans sa pièce *Un tramway nommé désir* (dans la pièce, le tramway passait par Desire St.). St. Charles Avenue fait aussi partie du **Garden District**, l'une des toutes premières banlieues de la ville, où l'on trouve de charmantes demeures historiques et des chênes vigoureux. Une visite en tram à un prix absolument imbattable de 60 cents, permet de faire le tour de ce quartier où se côtoient végétation luxuriante et architecture élégante qui reflète la période Victorienne ainsi que

l'influence française et espagnole.

Puisqu'on parle de nature, le **Audubon Park and Zoological Garden**, qui porte le nom du célèbre naturaliste qui fit la plupart de ses meilleures recherches en Louisiane, se trouve également dans St Charles Avenue. Ce parc de 162 hectares est idéal pour marcher, pique-niquer, faire de la bicyclette ou jouer au golf. Une visite à la Nouvelle Orléans ne saurait être complète sans une halte dans la zone résidentielle caractéristique et les plantations vieux-style. **Longue Vue House and Gardens** sont vraiment intéressants à voir parce qu'ils sont de conception ancienne mais d'origine récente. Des jardins classiques à l'anglaise entourent une cour espagnole classique. La demeure a été construite en 1942 selon le style architectural Renaissance grecque et recèle des objets antiques français et anglais des XVIIIe et

A gauche: l'université de Tulane, ci-dessous l'université Loyola. En haut, à droite, un tramway descend Charles Street et une magnifique maison du Garden District. En bas à droite: le restaurant du Commander's Place et le Parc Audubon.

Aux pages suivantes, en haut à gauche: Longue Vue Plantation, en bas à gauche: San Francisco Plantation. En haut à droite: Oak Alley Plantation. En bas à droite: un marais deltaïque montrant combien la région est basse.

LOYOLA

Mardi Gras est une occasion de réjouissances à la Nouvelle Orléans et la ville se déploie en célébrations colorées comme le montrent les photos à cette page et aux suivantes.

XIXᵉ siècles. **San Francisco, Oak Alley, Houmas House et Nottoway** sont quelques-unes des plantations qui valent la peine d'être vues. En conclusion, aucun livre sur la Nouvelle Orléans ne saurait être complet si l'on ne mentionnait pas le **Mardi Gras**, mondialement célèbre, qui a lieu entre le mercredi des Cendres et le Carême. Dans la meilleure des traditions françaises, les deux semaines qui précèdent Mardi Gras se passent à l'heure des défilés, nuit et jour, organisés par des groupes de carnaval que l'on appelle «Krewes». Chaque groupe essaie dese surpasser en portant des costumes plus fantastiques les uns que les autres.

Et, c'est l'occasion pour la vraie nature de la Nouvelle Orléans d'apparaître au grand jour dans une explosion de couleurs et de fêtes. Il est vrai que ces deux éléments sont à la base de ce qui fait le *jazz*.

TABLE DES MATIERES